© Lito, 2016
ISBN 978-2-244-49148-6

Juliette

se déguise

Texte et illustrations de
Doris Lauer

Editions Lito

Juliette a invité ses amis pour une fête costumée.
Maman l'a habillée en Petit Chaperon rouge et
son petit frère en chat. – Ah, vous voilà! On va
bien s'amuser! Emma est une infirmière, Tessa,
une princesse et Nicolas, un pirate.

Emma et Tessa jouent avec les ballons et les cotillons. – Juliette, si un loup vient, je te défends! dit Nicolas. Petit Pierre fait le blessé pour qu'Emma le soigne. – Aïe, bobo! Aïe, bobo! répète-t-il, en vain.

Pierre avait trop chaud dans son costume de chat.
-T'es mignon avec les chaussures de papa! dit Juliette.
Tiens, nous aussi, on pourrait se déguiser comme
ça! Et elle emmène ses amis explorer la malle
aux vieux habits du grand placard.

C'est très excitant de farfouiller là-dedans.
Colliers, fripes et chapeaux, que de trésors pour
devenir des personnages rigolos. Juliette et Emma
sont de vraies dames avec leurs chaussures à talons.

-J'ai une bonne idée! s'écrie Juliette. On va faire un pestacle! -Génial! s'enthousiasment les amis. Il faut qu'on se maquille pour être beaux!
-Moi, je vais faire le papa! dit Nicolas. -Mais qui va nous regarder? demande Tessa.

Maman est occupée. Charou et Filou se sont sauvés. Qui va faire spectateur alors? Arrive petit Pierre avec son doudou lapin. - Mais voilà! Y'a qu'à prendre des jouets! propose Juliette. Allez, embarcation direction ma chambre! Oh! Hisse!

Poupées et peluches sont bien installées. Le
spectacle peut commencer. Nicolas et Juliette
improvisent : – Mon amour, nous allons nous
marier et avoir dix enfants ! – Vous devez m'offrir
une bague ! Emma s'impatiente : – Bon, maintenant,
vous divorcez ! À moi de faire la fiancée !

La maman de Juliette s'est approchée et applaudit.
-Bravo, les artistes! Ça ne vous a pas donné faim
de jouer aux grands? Il y a des beignets au goûter.
-Ah si! répondent en chœur les enfants.-Miam !
Ch'est trop bon, dit Juliette. Bon, maintenant qu'on
a mangé, on refait un pestacle juste pour maman?

www.editionslito.com

Lito - 41, rue de Verdun 94500 Champigny-sur-Marne
Imprimé en UE
Loi n° 49-956 du 16 juillet 1949 sur les publications destinées à la jeunesse
Dépôt légal : octobre 2016

Juliette
fait des bêtises

Juliette
est malade

Juliette
va à l'école

Juliette
chez papy et mamie

Juliette
fête son anniversaire

Juliette
fait des courses

Juliette
pique-nique

Juliette
fête Noël

Juliette
fait du sport

Juliette
à la fête du village

Juliette
fait sa toilette

Juliette
fait un gâteau

Juliette
fait de la musique

Juliette
joue dans son jardin

Juliette
prend le train

Juliette
et sa copine

Juliette
se promène en forêt

Juliette
fait du poney

Juliette
fête Pâques

Juliette
et la galette des Rois

Juliette
fait du camping

Juliette
dort chez sa copine

Juliette
à la maternelle

Juliette
petite danseuse

Juliette
à la cantine